Dirección editorial:
Departamento de Literatura GE

Dirección de arte:
Departamento de Diseño GE

Diseño de la colección:
Manuel Estrada

*El 0,7% de la venta de este libro
se destina a proyectos
de desarrollo de la ONGD SED
(www.sed-ongd.org).*

Impresión:
Edelvives Talleres Gráficos. Certificado ISO 9001
Impreso en Zaragoza, España

ISBN: 978-84-263-9143-8
Depósito legal: Z 237 -2014

FICHA PARA BIBLIOTECAS

MAESTRO, Pepe (1964–)
Chismorreo / Pepe Maestro ; ilustraciones, Leire Salaberria. – 1ª ed.
– [Zaragoza] : Edelvives, 2014
47 p. : il. col. ; 20 cm. – (Ala Delta. Serie roja ; 76)
ISBN 978-84-263-9143-8
1. Ruido. 2. Convivencia. 3. Comunicación. 4. Humor. I. Salaberria,
Leire (1983–), il. II. Título. III. Serie.
087.5:821.134.2-3"19"

ALA DELTA

EDELVIVES

Chismorreo

Pepe Maestro

Ilustraciones
Leire Salaberria

I

Había una vez una ciudad llamada
Chismorreo. Era tan grande
y tan pequeña como una montaña.
Una montaña con forma de caracola.
Y como si un gigante invisible soplara
sobre ella, el eco de Chismorreo
se escuchaba muy, muy lejos.

Aquel sonido eran las voces
de sus habitantes, que se pasaban
todo el tiempo hablando y hablando.
Exclamar, vocear, chapurrear… cualquier
cosa valía mientras sus bocas
no dejasen de hacer ruido: lo mismo
un murmullo que un cuchicheo,
una charla que un discurso.
Tanto daba un grito como un susurro,
el canto de un gallo o el de una lechuza.

Era tan grande la confusión
que nadie entendía gran cosa,
pero tampoco les preocupaba.
Lo único importante era hablar.
Sí, Chismorreo era un gran estruendo
provocado por todos sus habitantes.
Por todos, excepto uno.

II

Bartolo jamás había pronunciado
una palabra en su vida.
Sencillamente porque nació mudo.
Era el único ser silencioso que vivía
en Chismorreo. El único, también,
que había desarrollado una singular
capacidad: sabía escuchar.
Pero, entre tanto bullicio, le resultaba
difícil entender algo.
Bartolo se sentía un extraño,
como si fuese invisible o una sombra
en la que nadie reparase.

Cada mañana, Bartolo iba al río.
Una vez allí, lanzaba su caña
y se ponía a esperar. Pero no tanto
a que algún pez picara. Aprovechaba
para escuchar un sonido distinto:
el de la corriente del agua
y el de las hojas meciéndose
en los árboles. Porque aquello no solo
era sonido. Era también silencio.
Y le gustaba.

Un día que descendía por el río
en un tronco, encontró una caracola.
Cuando se la llevó a sus oídos
y escuchó el mar, quedó entusiasmado.
Era el sonido más hermoso
que había oído nunca.

Y pensó que debía compartirlo.

Remó, río arriba, para regresar
a Chismorreo. Entró por sus calles
como un loco, ofreciendo la caracola
con sus brazos en alto. Pero nadie
le hizo caso. Todos tenían una excusa.
Y siempre era la misma:

—Perdona, Bartolo, pero ahora
estoy ocupado….

Y proseguían su charla, su parloteo
repetido y sin descanso.

Bartolo no podía creer que nadie
quisiese escuchar aquel sonido
que tanto le había impresionado.
Se encogió de hombros, suspiró
y regresó al río. Allí, depositó
la caracola en el hueco de un árbol
y se sentó a pensar por qué nadie
le prestaba atención.

III

Cuando creyó que nunca nadie
le escucharía, sucedió algo.
Chismorreo quedó en completo silencio.
No se sabe muy bien cómo sucedió.
Algunos dijeron que fue un cometa;
otros, que una profecía.
También se habló de los vientos,
el magnetismo, las corrientes marinas.
Pero todo aquello se dijo más tarde.
Ahora, simplemente, las palabras
habían desaparecido. Y no era que
las hubiesen olvidado. Lo que sucedía
era que, por más que se empeñaran,
no salían de su garganta.

Lo intentaban: estiraban su cuello, lo apretaban…, pero solo conseguían morder el aire sin emitir sonido alguno. Chismorreo había enmudecido. Y como no estaban acostumbrados al silencio, la gente no podía soportarlo.

Comenzaron a hacer cosas raras: se estiraban los cabellos, caminaban de espaldas, se introducían la mano en la boca… Cualquier cosa con tal de intentar escuchar algo.

Al final, se quedaron abatidos y tristes. Concentrados en la plaza, se pusieron todos juntos a llorar, sin lágrimas y en silencio. Así, durante tres días.

IV

Entonces, se oyó un cascabel.
Era un sonido lejano, que parecía
subir desde el río.
En otra circunstancia,
hubiese sido imperceptible.
Pero en ese momento...
Se acercaba.

Chismorreo interrumpió su llanto.
Ahora, todos miraban expectantes
hacia una de las callejuelas
que desembocaba en la plaza:
aquella por donde se adivinaba
el sonido. Los cuellos se alzaban
para ver mejor entre la multitud.
La gente señalaba hacia allí.

De pronto, apareció Bartolo.
Tiraba de una cuerda que arrastraba
un cascabel. Aquel único sonido,
en mitad de Chismorreo,
era como el cofre de un tesoro
que se abriera lentamente.
Bartolo se detuvo y el cascabel
dejó de oírse.

Se rascó la cabeza, miró a un lado,
a otro, arriba y abajo. De un bolsillo,
entonces, sacó una nariz de payaso
e intentó colocársela.

Primero, en una oreja; más tarde,
en un ojo, en la barbilla…
Por fin, acertó con su nariz y…
¡comenzó el espectáculo!

Bartolo era un mimo excepcional.
Nada más que con sus gestos,
levantó una gran carpa de circo.

Luego, representó un gran desfile,
con su banda de música, las bailarinas,
las fieras…

El funambulista caminó sobre
un alambre invisible que cruzaba
la plaza. Como estaba resfriado,
intentaba evitar los estornudos
que le hacían perder el equilibrio.
Tres veces estuvo a punto de caerse,
y las tres logró salir airoso.

El lanzador de cuchillos, con cuerdas
invisibles, se ató a un poste invisible.
Se vendó los ojos con una tela invisible
y lanzó varios cuchillos invisibles.
Con el mismo efecto que un bumerán,
estos regresaban hacia el poste
y se clavaban alrededor de su cuerpo.

El forzudo levantó pesos increíbles
y, en un alarde de fuerza,
se levantó a sí mismo.
El público quedó boquiabierto.
El domador se metió en una jaula
con una fiera terrible, que abrió
sus fauces y lo engulló.
Dentro de su barriga,
Bartolo le suplicaba que abriese
su boca para poder salir.
La fiera se estuvo negando un rato
larguísimo, hasta que Bartolo
se vio obligado a utilizar
las infalibles cosquillas que tanto
temen algunos animales.

Tras su último número, Bartolo
hizo una reverencia y la plaza rompió
en aplausos. Acababan de asistir
a un maravilloso circo silencioso
que los había dejado perplejos.
Los habitantes de Chismorreo
se dieron cuenta de que,
por primera vez,
habían escuchado a Bartolo.

Y en ese preciso momento,
las palabras comenzaron a llegar.
Las letras se fueron escribiendo
en el aire. Eran cientos que, solas
o en bandadas, sobrevolaban la ciudad
y se dejaban llevar por las corrientes.

Algunas se agrupaban y formaban
una palabra conocida por todos.
Eran palabras cortas

ARO

PEZ

BABA

PAN

¡que se deshacían al instante!
A veces, dos letras volaban unidas
y, al llegar otras, formaban palabras
diferentes:

SOL

COL

GOL

De vez en cuando, se formaban
tupidas nubes de letras que se rompían,
de repente, en un estallido. Saltaban
hacia todos los lados y volvían
a recogerse en nubes nuevas.
Así hasta que, en mitad del desconcierto,
las letras comenzaron a buscarse.

Un grupo aumentó su tamaño,
como si quisieran que pudieran verlas
todos los que estaban abajo:

SERPENTINA

Y como si aquella palabra hubiese
devuelto la voz a Chismorreo,
todos la leyeron en voz alta,
mientras descendía estirando sus sílabas,
en un movimiento acompasado de caída:

SER-PEN-TIII-NAAAA

SERPENTINA

La gente, sorprendida y admirada
por lo que estaba sucediendo,
recibió las palabras como el maná,
una lluvia que les trajese alimentos.

Las palabras comenzaron a jugar,
y todo Chismorreo se lanzó a leer
el cielo con entusiasmo y en voz alta:

DO RE MI FA SOL

DORA MI FAGOT

DORMIR EN UN FAROL

Las letras giraban unas sobre otras,
se arremolinaban, se intercambiaban,
hacían y deshacían las palabras:

MARTA ESTÁ HARTA DE TANTA TARTA

En oleadas, perfectamente
sincronizadas, se iban componiendo
y recomponiendo.

Llegaron palabras encadenadas,
que recordaban a un tren de vapor:

CACHIVACHE _BERBERECHO _CHUPATINTAS _SALCHICHÓN

Palabras que hacían cosquillas
al ser pronunciadas en voz alta:

TITIRITERO   BIRLIBIRLOQUE   BATIBURRILLO

Algunas estallaban como globos
de agua delante de sus narices:

POMPA   PIMPAMPÚM
          BOMBA

Otras pasaban de puntillas:

ALHELÍ   COLIBRÍ   FRENESÍ

Muchas se enredaban y se unían
con otras: COLIFLOR

                  BOCACALLE
      TELARAÑA   HOJALATA

Las onomatopeyas comenzaron
a perseguir divertidas a los niños,
que las recibían con alborozo:

TIC-TAC   CRASH   KIKIRIKÍ
    GLUP   GONG

Parecían fuegos artificiales.
La gente las observaba admirada.

Pero lo que más les sorprendió
fue un grupo de letras. Comenzaron
a intercambiarse como si fuesen
llevadas por un prestidigitador.

OTOLARB   LORATOB   ORTABOL
        RABOTOL

Así hasta que el nombre de Bartolo
quedó escrito en el cielo.

Bartolo, que miraba todo desde
un rincón, se sonrojó.
Era como si le diese vergüenza
que el cielo dibujase su nombre.
    La gente comenzó a corear:
    —¡Bartolo!, ¡Bartolo!…
Miles de letras hicieron un gran
círculo, mientras otras formaban
uno más pequeño en su interior,
que parecía danzar.
    Cuando los habitantes se disponían
a leer aquel crucigrama,
las letras se dejaron caer velozmente
sobre la garganta de Bartolo.

Todos vieron cómo se las tragaba.
Tambien, su rostro sorprendido,
y aquella frase que nació
de su garganta, como si fuese
la misma voz del río quien hablase.
Fue la única frase que Bartolo
pronunció en su vida: «Escuchad
de vez en cuando la caracola».